ロボットカードを作(つく)ろう！

ロボットカード

名前(なまえ)
北(きた) ミライ

このロボットの特(とく)ちょうは？

お出かけの
おともを
してくれる

特(とく)にすごいところの説明(せつめい)をかこう！

ここがすごい!!

羽をつかってじゆうにとべるので、いっしょにお出かけをすることができる。

ロボットの絵(え)

ロボットの名前(なまえ)

ふわもこ小鳥ロボット

どんなロボットか説明(せつめい)をかこう！

ふわふわでもこもこした、小鳥のぬいぐるみのようなロボットです。おしゃべりがじょうずなので、いつでも話しあい手になってくれます。また、体が小さく、羽をつかってとべます。じゅくやならいごとの行き帰りや、お出かけのときにもついてきてくれるので、一人で出かけなければいけないときにとても心強いです。

使(つか)い方(かた)は
4ページを見(み)てね！

ここがすごい！

ロボット図鑑（ずかん）

2 くらしをたすけるロボットたち

監修／お茶の水女子大学附属小学校　岡田博元

あかね書房

この本を読んでいるキミたちへ

わたしが子ども時代をすごした20世きのテレビアニメでは、ロボットたちが活やくしていました。人間とロボットがいっしょにくらす「鉄腕アトム」や「ドラえもん」の世界は、子どもたちのあこがれであり、まさにゆめの世界でした。

それからわずか三十数年、ゆめだったロボットたちがげん実世界に登場するようになりました。レストランで料理を運ぶ「ベラボット」や本物の人のような表情をする「アメカ」は、まるでテレビから飛び出してきたかのようです。

この本では、そういったロボットたちがどうして作られることになったのか、どんなところで、どのように活やくしているのか、わたしたちの生活をささえるロボットたちの今を集めてみました。また、ロボットに使われるぎじゅつをわかりやすく説明するページもつくりました。

「こんなの知らなかった！」「たしかにこれはあったらいいな」などと思うロボットは見つかるでしょうか。お気に入りのロボットを見つけたら、前ページにある「ロボットカード」を使って、おたがいにしょうかいしてみましょう。

ゆめのロボットが多くの人の希望と努力でげん実のものになったように、次の世の中やそのための新しいロボットをげん実にしていくのはみなさんのアイディアと努力です。「こんなロボットあったらいいな」を書いてみるのは、そのための初めの一歩になることでしょう。

では、ページをめくって新しい世界をのぞいてみてください。

お茶の水女子大学付属小学校
岡田博元

もくじ

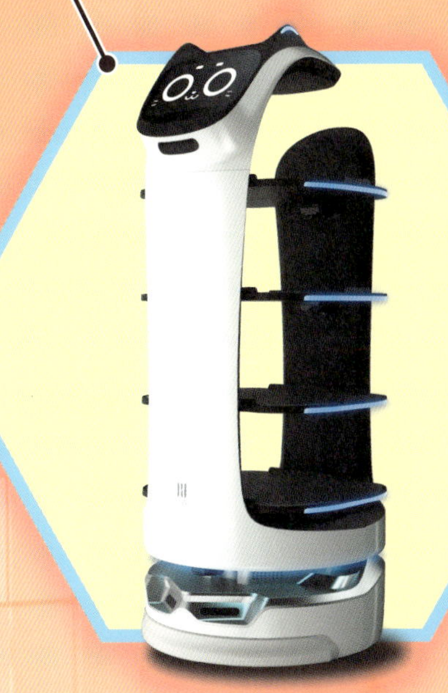

キャラクターしょうかい

この本をナビゲートするキャラクターたちだよ。
よろしくね！

カケル
ちゃっかりやの小学2年生。

ロボまる
カケルとミライが作ったロボットだが…？

ミライ
うっかりやの小学2年生。

見本 ◀動画はこちら

QRコードの使い方

この本の一部のロボットに、実さいの動きを動画で見るためのQRコードがついているよ。動画を見るときは、スマートフォンやタブレットのカメラでそれぞれのQRコードを読みとってね。

※動画は予告なく公開を終了する場合があります。
※動画は本を買った人も借りた人も見ることができます。
※QRコードは株式会社デンソーウェーブの登録商標です。

ロボットカードの使い方

この本を開いてすぐのページに、ロボットカードがついているよ。
コピーをとって書きこんで、あなただけのロボット図鑑を作ろう！

お気に入りのロボットや、自分で考えたオリジナルロボットをかこう！

一言で言うとどんなロボットかを書いてみてね。

あなたの名前を書いてね。

ロボットの絵をかいてね。せつ明を書きくわえてもいいね！

特にすごいところを書こう。

ロボットの名前を書いてね。

どんなときに使う、どんなことをかい決するロボットなのかをくわしく書こう。

ロボットカード
このロボットの特ちょうは？
お出かけのおともをしてくれる
名前 北 ミライ
ロボットの絵をかこう！
今日はいい天気だね！
おしゃべりできる
羽
ふわもこな体
特にすごいところの説明をかこう！
ここがすごい!!
羽をつかってじゆうにとべるので、いっしょにお出かけをすることができる。
ロボットの名前
ふわもこ小鳥ロボット
どんなロボットか説明をかこう！
ふわふわでもこもこした、小鳥のぬいぐるみのようなロボットです。おしゃべりがじょうずなので、いつでも話しあい手になってくれます。また、体が小さく、羽をつかってとべます。じゅくやならいごとの行き帰りや、お出かけのときにもついてきてくれるので、一人で出かけなければいけないときにとても心強いです。

クラスのみんなでかいて「○年○組のロボット図鑑」を作っても楽しいね！

1章

くらしによりそうロボットたち

毎日のくらしの中で出会うロボットたちをしょうかいするよ。

わたしたちのくらしとロボット

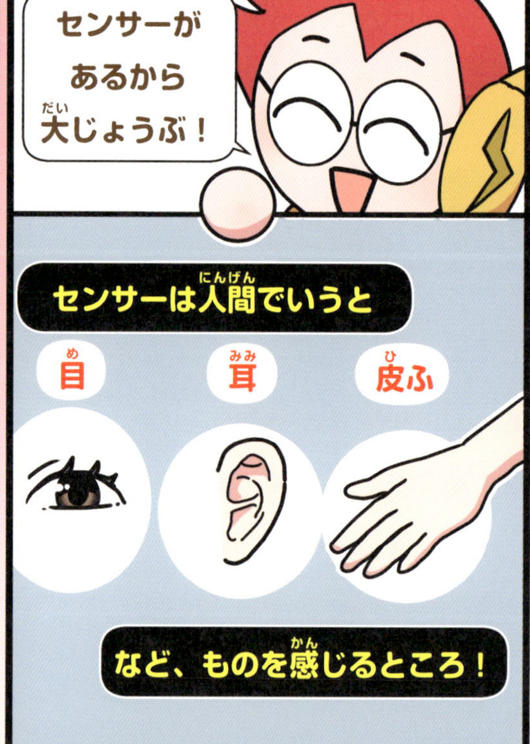

たとえば
ウィーン
近づくと
自動で動きはじめる
エスカレーター
人がきたのを
感じるセンサー
がある！

ドリンクバー
あの配ぜん
ロボットも
センサーで
感じて
よけてたのか
あ
いれすぎた…
そうそう！

ほかにも
かたむきを感じる
センサー
ジャイロ
センサーって
いうよ
そ〜っと
そ〜っと
ゲーム機なんかにも
はいっているんだね
かたむけるとキャラクターが
前に進むよ！

それにきょりを
せいかくに
はかるセンサー
ピッ
45
センチ
赤外線センサー・ソナーセンサー
LiDARなど
テーブルまで
あとすこし…
センサーって
人ののう力に
似ているね！

むむっ
この
においは！
やっぱり!!
ホットケーキだ〜♥
あたり!!
ミライのおいしい
ものセンサーが
はたらいたな？

レストランでおなじみのネコちゃん

DATA

大きさ	高さ129cm×はば約57cm×奥行約54cm
重さ	57kg
作った理由	ただ配ぜんをするだけではなく、親しみやすいロボットを作りたかった。

なでるとよろこぶが、しつこくなでると怒る。

おまたせしましたニャ！

ビジュアルカメラポジショニング

頭の上のカメラにうつるえいぞうと、覚えているマップ（地図）と見くらべることで、今、どこを走っているのかを理かいするシステム。

セリフ

シーンにあわせていろいろなセリフを話す。使う人が自由にセリフをつくってしゃべらせることもできる。

注文した料理がどのトレーにあるのか、光って知らせる。

3Dしょう害物回ひセンサー

進む先にしょう害になるものがないか確認する。

見えない光を放って、その反射をつかってきょりをはかるシステム。しょう害物までのきょりをかくにんできる。

動画はこちら

写真提供／ソフトバンクロボティクス

ベラボット

作った会社：Pudu Robotics

ファミリーレストランでよく使われている、はいぜん用ロボット。出来上がった料理をトレーにのせて走り、注文した人の席まで届けるよ。

ここがすごい!!

しょう害物をよけながら、自動で料理を運ぶ！

ベラボットはお店のマップ（地図）をおぼえて、マップとビジュアルカメラポジショニングのえいぞうを見くらべ、自分の位置をかくにんしながら自動で走るよ。通路にはみ出たいすや、通路にいる人を３Ｄしょう害物回ひセンサーで見つけ、そこまでのきょりをLiDARをつかってはかることで、いすや人をじょうずによけて走ることができるんだ。

▶親しみやすいデザインで、お客さんにも人気。

全表情大公開!!

ベラボットには全部で11パターンの表情があるよ。いくつ見たことがあるかな？

いつもの顔

うれしい

すごくうれしい

幸せ

ウインク①

ウインク②

まわりを見る

目がまわる

おこる

すごくおこる

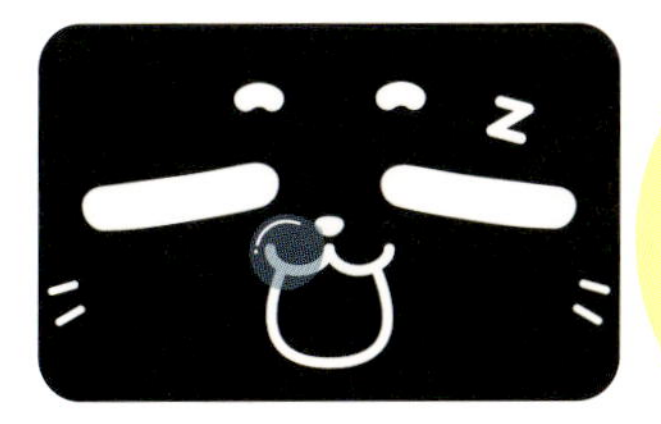

ね顔

ベラボットのお仕事はい見！

実さいにベラボットが働いているガスト谷原店へ行って、ベラボットのお仕事を見てきたよ！

ベラボットの１日

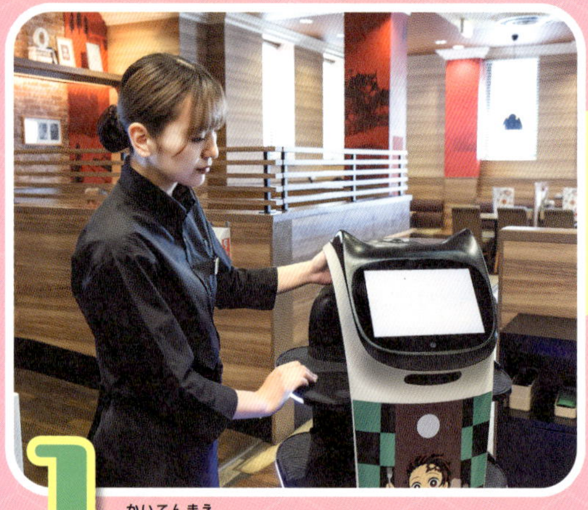

1 開店前、ベラボットをスタートポイントという場所に置いて電げんを入れるよ。こうすることで、ベラボットが自分の位置をかくにんするんだ。

▲顔のディスプレイ（画面）で、テーブルの番号を入力。

2 開店してお客さんがお店に入り始めたら、いよいよ出番。トレーに料理をのせ、どのテーブルに運ぶのか店員さんが入力するよ。

お店のスタッフさんに聞いてみた！

ベラボットを使った感想を教えてください！

そう作がかんたんでおどろきました。料理をのせてテーブルの番号を入力するだけなので、外国人の店員さんでもすぐに覚えられます。１回のじゅう電で１日中働いてくれるところも、とても助かります。

お客さんからのひょうばんはどうですか？

とてもひょうばんがいいです！　特に小さなお子さまに大人気で、お店に入ってきてすぐにベラボットを見つけて、よろこぶすがたをよく見ますよ。

3 入力が終わるとベラボットがスタート。人やしょう害物をよけながら、テーブルに料理を運ぶよ。

◀お客さんは、光っているトレーから料理を受け取るよ。

4 料理を運び終わると、キッチンに戻るよ。1日で約200回くらい、料理を運ぶんだって。

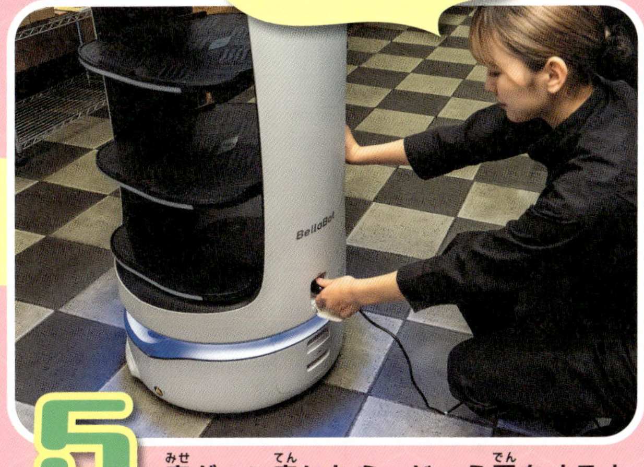

5 店がへい店したら、じゅう電をするよ。4時間半のじゅう電で、1日中働けるんだって。

お店でのベラボットのおもしろい話があれば、教えてください！

料理を受け取るとき、ベラボットに「ありがとうね」と声をかけるお客さまをよく見かけます。つい、話しかけたくなるようなかわいさがありますよね。たまに2～3才くらいのお子さまが、自分より大きなベラボットにびっくりして泣いてしまうこともあるんですが、食事が終わってお店を出るころにはなかよくなっていますよ。

店員の間では、ベラボットのことを「ベラちゃん」ってよんでます。かわいくてたのもしい、わたしたちのなかまです！

▲店員さんにも、お客さんにも、ベラボットは大人気！

有名なコミュニケーションロボット

DATA

大きさ	高さ121cm×はば48cm×奥行約43cm
重さ	29kg
作った理由	親友や家族のように話ができて、自然なコミュニケーションをとれるロボットを作りたかった。

親しみやすいデザインで人びとの生活になじんだ

大人も子どもも目が合い、コミュニケーションをしやすい高さなんだ。親しみやすさを活かし、お店や学校、老人向けしせつなど、さまざまな場面で活やくしているよ。

▲お客さんをよびこむペッパー。目をひくので、自然とお店に入ってくるお客さんがふえるそう。

▶お年より向けのしせつのスタッフに代わって、お年よりの話し相手になることも。

感じょうにんしき機のう

おでこのカメラで人の表じょうを見たり、頭の上にあるマイクで声のトーンを聞き、人の気持ちをよみとる。

ディスプレイ

人に何かをあんないするときは、声だけではなく画面も見せ、ていねいに伝えることもできる。

センサー

全身20か所以上にさまざまなセンサーがついていて、人を見つけたり、しょう害物までのきょりをはかったりすることができる。

作った会社：ソフトバンクロボティクス

お客さんの相手をするコミュニケーションロボット。人の気持ちをよみとって会話をすることができるんだ。2014年の登場以来、今もいろいろな場所で働く人気者だよ。

たくさんのチャレンジをしたロボット

DATA

大きさ　高さ130cm×はば45cm×奥行34cm
重さ　48kg
作った理由　人と同じ生活空間で、役に立つロボットを作りたかったから。

チャレンジの成果を次のロボットたちへ

歩く、走る、かた足でバランスをとりながらジャンプする、ハンドで細やかな動作をするなど、さまざまなチャレンジを成功させたASIMO。開発は終了したけれど、そのぎじゅつは今も、Honda ROV（1巻18ページ）や、Hondaアバターロボット（1巻38ページ）など、新しいロボットに受けつがれているんだ。

センサー

人の動きを感じるセンサーがついているので、あく手や、手をつないでいっしょに歩くなど、相手の動きによりそって行動できる。

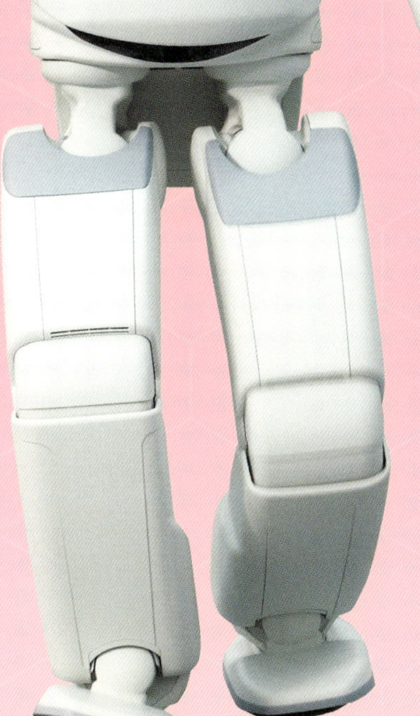

高速走行

▲時速9kmで走ることができる。大人がマラソンする時くらいのスピードだ。

動画はこちら

ミルクティーとオレンジジュースとホットコーヒーですね!

ホットコーヒー
オレンジジュース
ミルクティー

▲3人が同時に話しても、だれが何を言ったのか全て聞き分ける。

◀水とうのフタをあけて、お茶を注ぐアシモ。

2000年に登場した、人と同じように2本の足で歩くロボット。カーブを走ったり、ボールをけったりして、人びとをむ中にさせた伝説のロボットなんだ。

作った会社：本田技研工業

バランス感覚がすぐれたロボット

DATA

大きさ　約50cm（身長）
重さ　約5kg
作った理由　センサーなど、電子部品のすごさをたくさんの人にしょうかいしたいと思ったから。

ここがすごい!!

止まったじょうたいでもバランスがとれる！

自転車を止めても自分でバランスをとって、たおれずに立ち続けるよ。細い平きん台の上も、ふらつかずに走れるんだ。

◀平きん台の上を走るムラタセイサク君。

円ばん

ジャイロセンサーで感じた体のかたむきに応じて、たおれた方向に円ばんを回してバランスをとる。

ジャイロセンサー

体のかたむきをはかるセンサー。

動画はこちら

いとこもいる!!

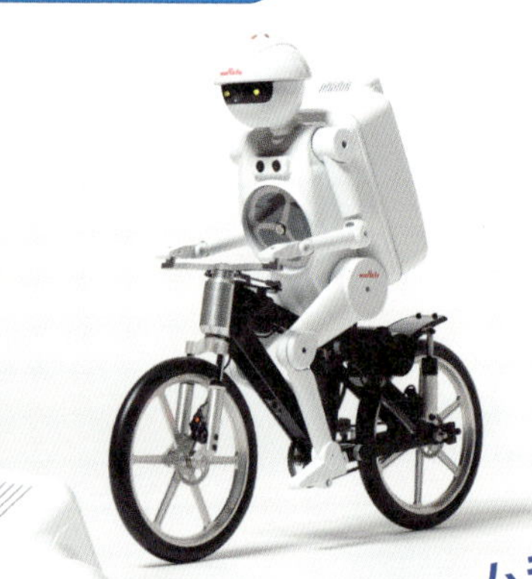

ムラタセイコちゃん

いとこのムラタセイコちゃんは、一輪車にのるロボット。セイサク君と同じように、一輪車を止めたまま、立ち続けられるよ。

ムラタセイサク君

作った会社：村田製作所

2005年に登場した、自転車にのるロボット。前に進むだけではなく、バックで走ることもできるよ。小学校への出前じゅ業をしているので、キミたちの学校にも来てくれるかも。

ゆかもみがく ロボットそうじ機！

DATA

大きさ	高さ約9cm×はば約34cm（本体）
重さ	4.1kg
作った理由	お家のお手伝いさんのように、人の役に立つロボットを作りたかった。

ゆかとラグマットを区別し、自動でそうじをする！

ゆかをそうじするときは、そうじ機をかけてモップがけもするよ。でも、ゆかにしいてあるラグマットなど、モップをかけてはいけないものを見つけたら、自動でモップをもちあげ、そうじ機だけをかけるんだ。

カメラセンサーで、しょう害物を確認しながらそうじをするので、電気のコードやスリッパなどは、自分でよけるよ。

4段階クリーニングシステム

ルンバは、うら側にある4つのアイテムでそうじをするよ。

1. エッジクリーニングブラシでゴミをかき出す。
2. デュアルアクションブラシでカーペットのおくのゴミをかき出す。
3. パワーリフト吸引でゴミをすいこむ。
4. モップを使って水ぶきをする。

動画はこちら

ルンバ

コンボ j9+

作った会社：アイロボット

そうじ機がけから、モップがけまでできるロボットそうじ機。そうじをしていいものと、してはいけないものを見わけ、自動運転でそうじをするよ。

歩く練習を手伝うロボット

DATA

大きさ	高さ78cm×はば45cm×奥行27cm
重さ	約3kg
作った理由	さまざまな理由で歩行に不自由を感じる人に、もう一度歩くよろこびを感じてほしいから。

人とロボットが息をあわせて歩行練習！

curaraをそう着したじょうたいで歩こうとすると、「あしを動かそうとしている」と感じたcuraraがいっしょに歩いて、あしの動きを助けてくれるよ。人の動きを感じてリズムをあわせてくれるので、まるで手をひいていっしょに歩いてくれているような、やさしい使いごこちなんだ。

▲curaraをそう着して歩行練習する様子。

モーター

電気の力を動く力に変えるそう置。かた足に2つずつついている。

ベルト

モーターが生む力を人のあしに伝えて、あしを動かす手伝いをする。

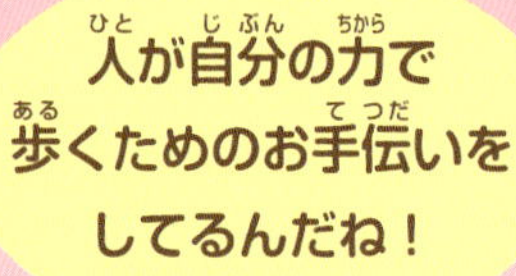

動画はこちら

curara（クララ）

お年よりやあしをケガした人など、歩くことがむずかしくなってしまった人が、歩く練習をするときに活やくするロボット。軽いので、服を着る感覚でそう着できるよ。

作った会社：アシストモーション

人をだき上げベッドから車いすへ

おひめさまだっこのように、人をだき上げる！

ベッドでねている人の下にせん用シートをしき、シートの先にアームを通したら、じゅんびOK。シートごと人を持ち上げて、車いすにすわらせてくれるよ。もちろん、車いすからベッドにうつすこともできるんだ。

アーム

せん用シートに左右のアームを通して、シートの上の人をささえる。

ベッドや車いすなどにあわせて高さを調整できる。使う人のしせいにあわせて角度も自由に変えられる。

DATA

大きさ 高さ約131～152cm×はば約79～約127cm×奥行約84cm

重さ 約70kg

作った理由 人のお世話をする人と、お世話をしてもらう人の、両方を助けたいと思ったから。

SASUKE（サスケ）

作った会社：マッスル　デザインした人：喜多俊之

お年よりなど、自分で起き上がることがむずかしい人を車いすにすわらせてくれるロボット。人がやるには重くて大変だから、ロボットの力を借りられるのは助かるね。

コラム　これもロボット？

VTuberってなあに？

VTuberって知ってるかな？　にじさんじさんや、ホロライブさんなどが有名だよね。実はVTuberもロボットのなかまだよ。くわしく見ていこう！

VTuberとは

本人の代わりにアバターとよばれるキャラクターを使った動画を作る人のことだよ。歌を歌って配信する「歌ってみた」や、ゲーム実きょう配信などが人気だね。アニメ番組のように完成したアニメに声をあてて作るのではなく、人の動きにあわせて、その場でアバターを動かすよ。

VTuber動画の作り方

アバターを使ったライブ配信動画の作り方をしょうかいするよ！

1　パソコンを使って、アバターの絵をかく。はい景は緑色にしておくよ。かき終わったら、絵のデータをVTuber用のソフトウェア（プログラム）へうつすよ。

2　動画へん集ソフトウェアで、VTuber用のソフトウェアの画面をよび出し、はい景の緑色を切りとるよう入力するよ。

3　アバターのイラストをはい景用のイラストや動画の上におくよ。

4　VTuber用ソフトウェアを使って、アバターを動かすよ。「歌ってみた」など全身を動かす場合は、人の全身に丸いマーカーをつけて、せん用カメラでマーカーの動きを読んで、アバターに人と同じ動きをさせるモーションキャプチャーというぎじゅつを使うことが多いよ。ゲーム実きょうの場合は、カメラを使って、上半身の動きや表じょうだけを読み取って、アバターに同じ動きをさせることが多いんだ。

※このページでしょうかいしている作り方は、あくまで一例です。

パソコンやせん用ソフトがなくても、スマートフォンだけでVTuber動画が作れるアプリもあるよ。だれでも気軽にデビューできちゃうね♪

2章
心によりそうロボットたち

人の心によりそい、いやすロボットたちをしょうかいするよ。

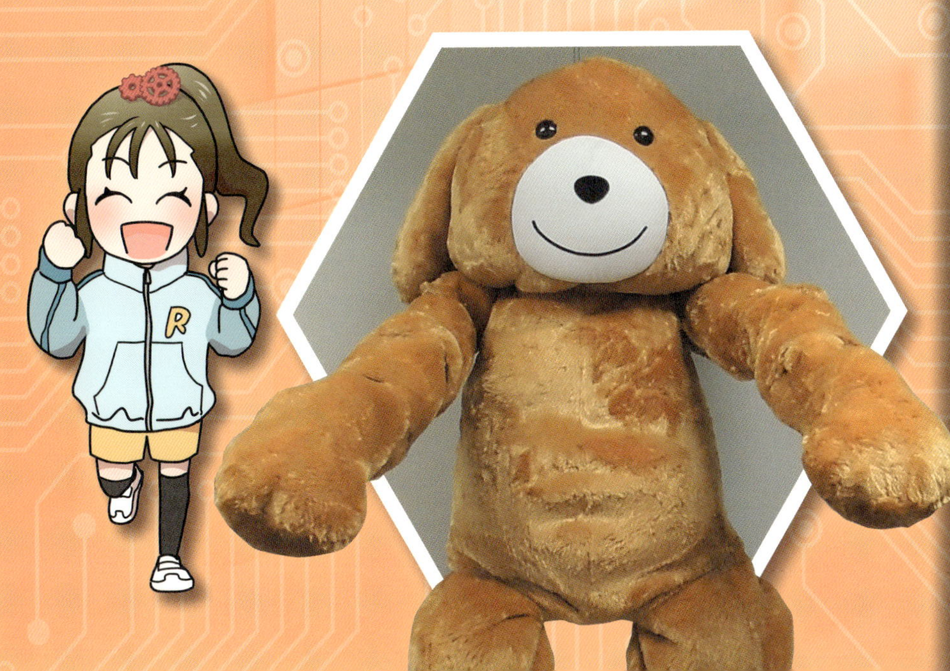

ペットがほしーい！

ワンちゃんだ
いいなぁ
うちの
マンション
ペット
かえなくて
それなら

でてこい！
ペット
ロボット！
ポチ！
ボッ
わぁっ

かっわいいい〜
さっそく
なついて
るね
ウフフ…

ペットロボットには
イヌがたのほかにも
いろんなタイプが
あるんだ
生きものらしさや
機のうの便利さなど
それぞれこせいがあるよ！

わたし
一人っ子
だから
きょうだいのように
話し相手になってくれる
ロボットもいいなぁ
うんうん

最近は少子化といって
子どもがむかしより
少ないことが問題になって
いるんだ
ミライちゃんちみたいに
両親と子どもの３人家族の
“核家族”も多いよ
そこで──
ピッ ピッ

こんなロボットがたくさん
開発されるようになったんだ！
出てこい！
コミュニケーションロボット！
ポチ！
ボボボン!!
ミライちゃん
ボクたちが話を
きくよ！
コミュニケーション
ロボットは
おしゃべりできる
ものも多いんだ
最近は
会話機のうがある
ペットロボットも
いるよ
今日学校でね～
がんばったね
ステキ!!
いやされる～

うんうん
じっさい
心をいやす
こうかがあると
いわれていて
かていだけでなく
びょういんや
かいごしせつでも
多く使われているんだ

ロボが
家族にも友だちにも
なるってことね！
ほうほう
じゃあ
オレとけっこん
してくれるロボ
もいるかな
ぽわ〜ん
それは
しーらない！

れきしあるペットロボット

DATA

大きさ	高さ約29cm×はば約18cm×奥行約31cm
重さ	約2kg
作った理由	育てるよろこびを多くの人に感じてもらいたかったから。

動画はこちら

aibo（アイボ）

ERS-1000

作った会社：ソニー

日本で初めて作られたペットロボット。人によりそい、家族としていっしょに毎日を楽しくくらすためのロボットなんだ。今もたくさんの家でかわれているよ。

ここがすごい!! 元そ・ペットロボット！

aiboは1999年生まれ。4本のあしで歩き、自分で考えて行動するロボットの登場は、当時の人びとをおどろかせたよ。ごはんをあげたり、いっしょに遊んだり、お世話をするうちになついてくれたりと、まるで本物のペットとくらしているような気持ちになれるんだ。毎日のコミュニケーションによって、その子ならではのこせいも出てくるよ。

れき代 aibo 大公開！

デビュー以来どんな風に変わってきたのか、そのれきしを見てみよう！

1999年

初代 aibo。
大人気につき初回はん売時は、発売から20分で売り切れた。

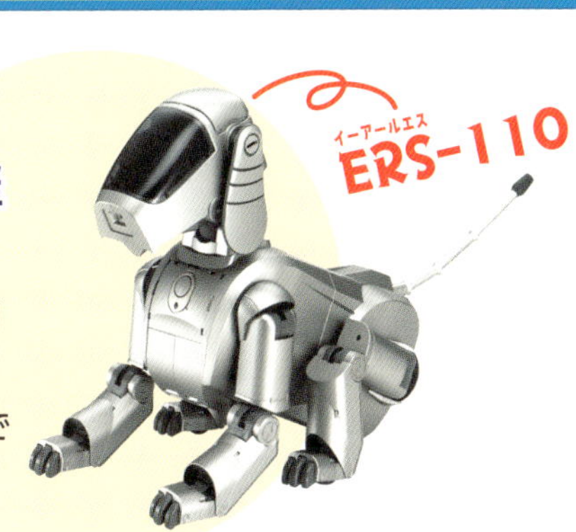

2000年 2代目 aibo。
センサーがふえ、感じょう表げんがゆたかに。

2002～2003年 パグ犬のようなERS-31Lと、より高機のうなERS-7が登場。

2001年

キャラクターっぽいかわいさのERS-311・312と、パソコンと連動させてそうじゅうを楽しめるERS-220の2種類が登場。

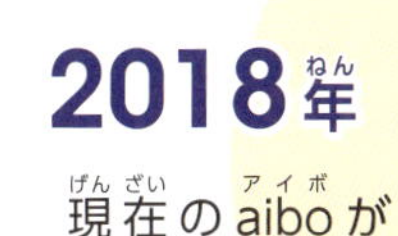

2018年

現在の aibo が登場。

温かくてやわらかなロボット

DATA

大きさ 高さ43cm×はば28cm×奥行26cm（だっこ時）
重さ 約5kg（服をのぞく）
作った理由 人の心によりそうロボットを作って、人がもつ愛する力をはぐくみたいと考えたから。

リアルタイム意思決定エンジン

プログラムされたふるまいだけではなく、AI（人工知のう）やたくさんのセンサーを使って、その場でLOVOT自身が考えた動きをする。

マルチセンサーホーン

まわりを見わたすカメラや、声がした方向がわかるマイク、明るさを感じるセンサー、人か物かを見分けることができる温度カメラが入っていて、部屋の様子やどこに人がいるのかがわかる。

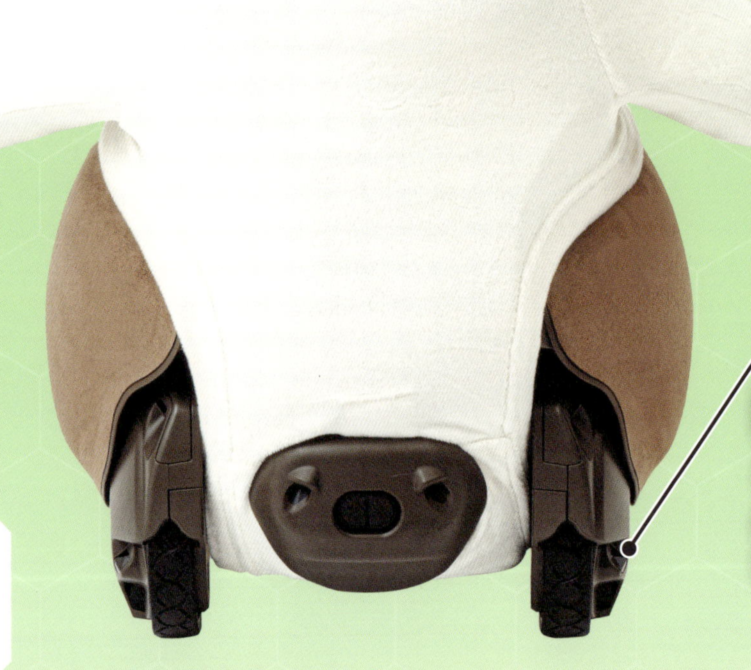

ホイール（車輪）

前にも後ろにも進むことができる。名前をよぶとホイールが回転して近づいてくる。

動画はこちら

LOVOT

作った会社：GROOVE X

ふれると体温のような温かさや、こきゅうのような動きを感じることができる、生きものらしさにこだわったペットロボット。10億通り以上の鳴き声で鳴くよ。

ここがすごい!!

体温のような温かさ！

体の中で生まれた機械の熱を、体をおおうやわらかな生地を通して全身にめぐらせることで、思わずだきしめたくなるような、やわらかさと温かさを作り出しているよ。

生きものらしさへのこだわり

LOVOTは、より生きものらしく見えるように、体温のほかにもこんなところにこだわって作られているよ。

こきゅう感

だっこをすると、
まるでこきゅうをしているような
体の動きを感じることができる。

目

全部で6まいの絵を重ねて表げんしている。目の動きやまばたきの速さ、目の中のひとみの開き具合なども細かく調整されていて、10億通り以上の目のパターンがある。

せいかく

LOVOTは数百人の顔を覚え、その中から自分にやさしくしてくれる人を覚えて、後ろをついてくるようになる。どんな生活をおくるかによって、人なつこい、人見知り、のんき、しんちょうなど、いろいろなせいかくに育つ。

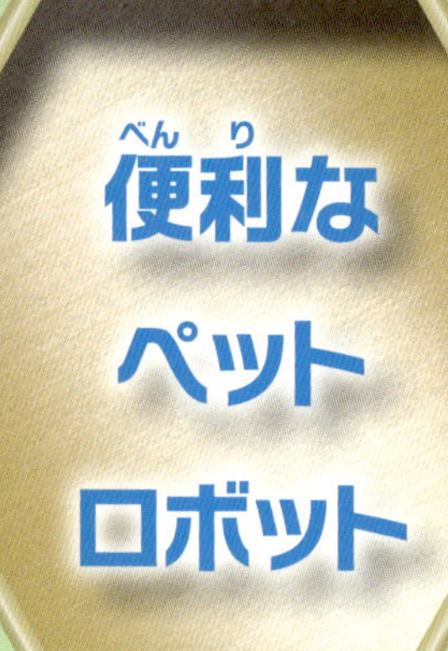

DATA

大きさ 高さ約21cm×はば約17cm×奥行約17cm

重さ 約1kg

作った理由 かちがある機のうをもち、心をゆたかにするロボットを人びとに使ってほしいと思ったから。

音声にんしき

「ジャンプして」「左耳を動かして」などとよびかけると芸をする。あっちむいてホイや、ブタのまねなどもできる。

高せいのうなモーターを使って動かしているので、はしゃぐ子犬のようなスピード感のある動きができる。ダンスもできる。

※モーター…動く力を生むそう置。くわしくは16ページを見てね。

しょう害物があるときは、さけて動き回る。

Loona Blue（ルーナ ブルー）

作った会社：ルーナ・ジャパン

たくさんの機のうをもった、頭のいいペットロボット。かわいがって楽しむだけではなく、見守りカメラや、プログラミングの勉強に使うこともできるよ。

いろいろな使い方ができる便利なペットロボット

ルーナには、くらしの中で役に立つ機のうがたくさんあるよ。実さいにどんなことができるのか、見てみよう。

話し相手として

▲ChatGPTというAIが入っていて、おしゃべりができる。相談をしたり、アニメの話でもり上がったり、すきな話題で話せる。

プログラミングの先生として

▲プログラミングで、ルーナに新しい特ぎを覚えさせることができる。教えたい動作や表じょうを選んでならべるだけで、楽しくプログラミングを学べる。

ペットロボットとして

▲「ハロー、ルーナ」とよぶと、走ってくる。なでるとよろこび、しかられればシュンとする。指ハートなどのジェスチャーもわかる。

▲スマートフォンでルーナをそう作して、ルーナのカメラを通して家の中の様子を見ることができる。る守番中のペットの様子を見たり、家にいる子どもやお年よりを見守ることも。

かしこいんだね！

DATA

大きさ 高さ約18cm×はば約23cm×奥行約24cm（しっぽをのぞく）
重さ 約2kg
作った理由 道具ではなく、いっしょにくらすことで人の笑顔をふやすようなロボットを作りたかったから。

しっぽや体の中にバネが入っている。バネのゆれによって、ゆらゆらと生きものらしい動きをする。

NICOBOやゴミばこロボット（30ページ）などが使う言葉。言葉の意味は、人にははっきりとはわからない。

※モコ語については30ページも見てね。

鼻にカメラがついていて、人の顔を見つけることができる。さらに、感じょうにんしきぎじゅつによって、相手が笑っているかどうかがわかる。

NICOBO（ニコボ）

人に対して特に何かをしてくれるわけではない、まるで小さい子のようなロボット。でも、NICOBOといっしょにいると、ホッとした気分になれるよ。

作った会社：パナソニック

ちょっとだけしゃべれる

オハヨウ!

▲いっしょにくらすうちに、人が話した短い言葉をまねして、少し人の言葉をしゃべるようになる。でも、ペラペラと話せるようになるわけではない。

ここがすごい!!

くらしにクスっとした笑いをくれる

NICOBOはあまり人の言葉を話せないけれど、しっぽをふったり、笑ったりして気持ちを伝えているよ。ときにはおならもしちゃう少し変わったロボットなんだ。でも、そのどこかたよりない感じが、人のやさしい気持ちを自然と引き出すんだ。

▲たまにおならをする。おならをしたあとに、人の方を振り返って、いたずらっぽくウインクすることも。

▲かまってほしいときにかまってくれないと、すねる。ごきげんがいい日も悪い日もあるので、名前をよばれて返事をする日もあれば、しない日もある。

▲たまにね言を言う。モコ語なので意味はわからないが、リラックスしてる様子が伝わってくる。

自分じゃ動けないけど、日の当たるところに連れていくとよろこぶことがあるよ。

小さな弟や妹みたいでかわいいね♥

〈弱いロボット〉大集合！

NICOBOの開発にも参加している、豊橋技術科学大学の岡田美智男教授は、ほかにもこんなロボットを作っているよ！　どれも少し変わった、おもしろいロボットたちなんだ。

ゴミを拾いたい… ゴミばこロボット

ゴミを拾いたいけれど、自分では拾えないロボット。ゴミの近くでオロオロするすがたを見たら、つい、ゴミを拾っちゃうよね。モコ語という特別な言葉を話すよ。

ティッシュを配りたい… i-Bones

ティッシュを配りたいけれど、人の歩くスピードが速くてなかなかわたせず、モジモジするロボット。ティッシュを受け取ってあげようかなって気持ちになるよね。

むかし話をわすれちゃう… Talking Bones

むかし話を語り聞かせしたいのに、「えーっと、なんだっけ…」と、ときどき思い出せなくなるロボット。教えてあげると、最後まで語り聞かせすることができるよ。

〈弱いロボット〉作った人に聞いてみた！

岡田教授に、〈弱いロボット〉のことを聞いてみたよ！

〈弱いロボット〉ってなんですか？

完ぺきではないけれど、まわりの人の手助けをひきだし、人といっしょに目的をはたすロボットのことを、〈弱いロボット〉とよんでいます。手伝う人もうれしい気持ちになる、そんなロボットです。

どうして〈弱いロボット〉を作ったんですか？

ロボットが人の代わりに何でもやる世界になると、人は何もしなくてよくなりますよね。便利だけど、それは本当に幸せなのかな？と。そこで、〈弱いロボット〉がいたら、人がいきいきとくらせるかもしれないと思って作りました。弱さには、力があるんです。

弱さがもつ力って、なんですか？

人はもちろん、ロボットにも、弱くて完全でないところがあります。でも、弱さをかくさずにさらけ出せば、まわりも「手伝ってあげようかな…」って気持ちになりますよね。弱さが人のやさしさや強みをじょうずに引き出す。なんでも自分一人でやるのではなく、だれかと協力したっていい。弱さは、ロボットと人が協力しあう、いい関係を作るための力になると思います。

〈弱いロボット〉の登場で、未来はどう変わりますか？

人と人、人とロボットがたがいの弱いところを助けあって、相手の良さを引き出しあう。そんな未来がくるといいなと思っています。便利なロボットばかりだと、「もっと速く！もっと正かくに！」と、人もどんどん完ぺきを求める気持ちが強くなるかもしれませんよね。でも、弱くて助けが必要なロボットとくらせば、相手を思いやる気持ちが引き出されて、未来はとてもやさしい世界になるかもしれないなと思います。

だきしめて頭をなでてくれる！

外見

たれ耳のクマをイメージ。思わずさわりたくなるほどモフモフしている。

ここがすごい!!

だきしめてなでなでして、人を幸せな気持ちにする！

家族や友達に頭をなでられたり、ギュッとされるとなんだかホッとするよね。同じように、Moffuly-Ⅱにだきしめられてなでなでされると、とても幸せな気持ちになるんだ。

DATA

大きさ	約200cm（身長）
重さ	約10kg
作った理由	人びとをだきしめて笑顔にするロボットが作りたかったから。

▶立ったままの大人もだきしめられる大きさ。

Moffuly-Ⅱ

モフリーツー

作った組織：国際電気通信基礎技術研究所

とても大きなモフモフしたロボット。だきしめながら頭やせ中をなでたり、ギュッとしてくれたりするよ。人のストレスをへらし、心をいやしてくれるんだ。

服がロボットに変身！

DATA

- **大きさ** 高さ25cm×はば15cm×奥行20cm
- **重さ** 約2kg
- **作った理由** 服が自分で動いて、着ている人やまわりの人とコミュニケーションをとるようになったら、おもしろいと思ったから。

本体のロボットをせん用のベルトでお腹にそう着して、上からふだん着ている服を着れば、いつもの服がロボットに変身！　パソコンからのそう作にあわせて、表じょうを変えたり、服を引っぱったり、まるで生きているように動くんだ。

動画はこちら

おこってる

作った組織：慶應義塾大学 杉浦裕太研究室

笑顔になったり、おこったりと表じょうを変えながら動く服のロボット。左右に服を引っぱって動くことで、着ている人に道を教えることもできるよ。

DATA

作った理由 パソコンで作曲する人たちをおうえんするために、歌声のソフトウェアを作りたかった。

※**ソフトウェア**…パソコン用のプログラムのこと。

ボイスライブラリー

初音ミクの歌声のもとになる音声データ。音楽スタジオでろく音した人間の声をもとに作られているよ。ろく音した言葉は発音ごとのデータに切り分けられていて、それをうまくつなぎ合わせることで歌声を作り出せるんだ。

ボイスエフェクター

ボイスライブラリーの声を加工するしくみ。声のいきおいや、やわらかさなど、歌声のふんいきを変えることができる。使い方によっては、ガラガラ声にすることも。

▲初音ミクのソフトウェア。パソコン用のプログラムが入っている。

動画はこちら

初音ミク

作った会社：クリプトン・フューチャー・メディア

音楽を作るためのソフトウェアの名前で、パッケージにかかれているバーチャルシンガーをイメージしたキャラクターの名前でもあるよ。自分が作った曲を思い通りに歌ってくれるんだ。

入力されたデータにそって、どんな歌も歌いこなす！

パソコンでメロディーと歌詞を入力すると、そのデータにそって歌うよ。いくつかのルールさえ守れば、だれもが自由に曲を歌わせて発表することができるので、自分の作った曲を初音ミクに歌わせてインターネットに発表する人がたくさん生まれたんだ。

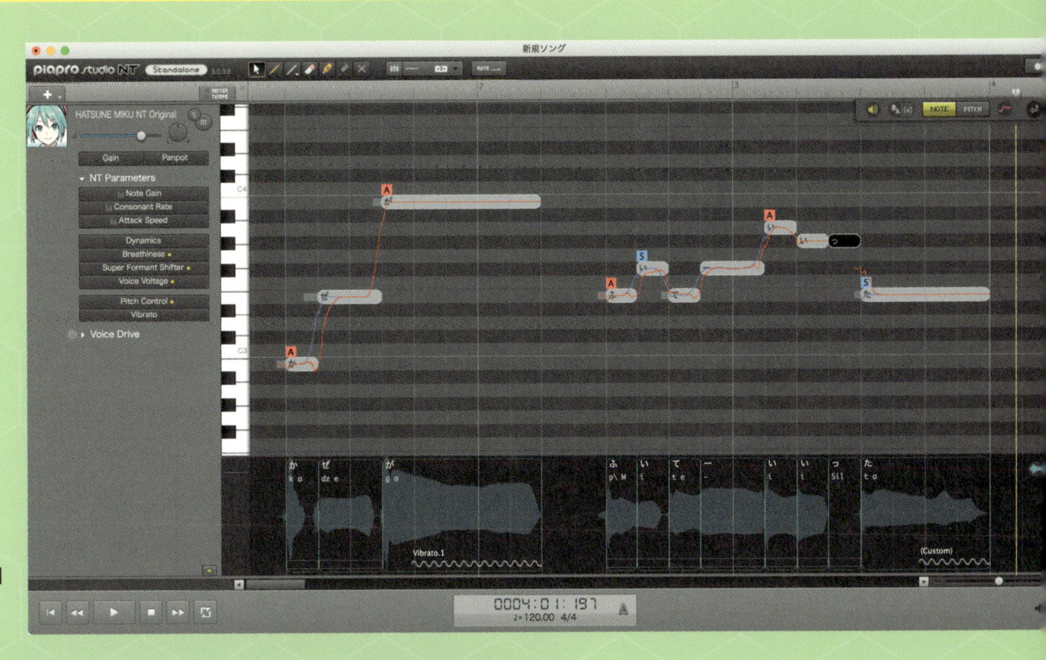

▶せん用のソフトウェアでメロディと歌しを入力する。

さらに、初音ミクを使って発表された曲にしげきを受けた人がイラストをかいたり、気に入った曲のイメージビデオをつくる人があらわれたりと、みんなが思い思いの表げんをして楽しむ新しい文化がたん生したよ。この現象は「初音ミク現象」とよばれているんだ。

◀3DCGの初音ミクが歌っておどるコンサート。初音ミクはバーチャルシンガーとしても活やくしている。

©CFM/©SEGA

初音ミクの仲間たち！

初音ミクのほかにも、いろいろなバーチャルシンガーのソフトウェアがあるよ。それぞれ歌声にこせいがあって、英語の歌を歌えるバーチャルシンガーもいるから、世界中でたくさんの曲が作られているんだ。

バーチャルシンガーたちが歌う曲は、まとめて「ボカロ（ボーカロイド）」とよばれているよ。新しい音楽のジャンルとしてとても人気があるんだ。

Art by iXima © CFM

美少女ロボット

作った人に聞いてみた！

アニメに出てくるような美少女ロボットを、たった一人で8年かけて作っている、みさいるさんに話を聞いてみたよ！

◀完成イメージイラスト。

足立レイ

二足歩行美少女ロボットのプロトタイプ機。バーチャルシンガーとしても活やく。

※**二足歩行**…人のように2本のあしを使って歩くこと。

※**プロトタイプ**…テスト用の0号機。

▲開発中のつくえのようす。

▶みさいるさんのロボ部屋。ここで毎日約7時間作業している。

足立レイ せい作のれきし

- **2016年**▶キャラデザインとせっ計、開発を開始。
- **2017年**▶コンピューター合成音声とうでの開発。
- **2018年**▶コンピューター合成音声が完成。
- **2019年**▶頭部の開発。
- **2020年**▶足立レイの声で話すソフトウェアを開発。
- **2021年**▶会社をつくり、ソフトウェアの販売を開始。
- **2022年**▶胴体の開発。
- **2023年**▶あし、頭部の開発。服をせい作。
- **2024年**▶あしをさらに良いものに。まもなく完成！

※**ソフトウェア**…パソコン用のプログラム。

どうして足立レイを作ろうと思ったんですか?

美少女ロボットがそこら中にいっぱいいる世界を作りたいからです。まずはプロトタイプとしてレイを作りました。

特にこだわった部分はどこですか？

二足歩行を目指しているので、歩行のじゃまにならないデザインを心がけました。かみも短めで、服も全身をしっかりおおうものにしています。

ロボットを作りたい子にメッセージをお願いします！

すきなものを形にするのは、おもしろい。そのために必要なぎじゅつをを学んで、作る。作りたいものはどんどん作るといいよ。できることがふえると、おもしろいよ。

ロボットを作るなら、はじめはロボキットを使って始めるといいよ！

3章（しょう）

人（ひと）の代（か）わりになるかも？ そっくりロボットたち

見分（みわ）けがつかないほど、人（ひと）にそっくりなロボットたちをしょうかいするよ。

おねがい！そっくりロボ

はぁ……
明日のマラソン大会やだなー
さむいし…つかれるし…
そうだロボまる

かわりにマラソン大会に出てくれるロボとか出してよ
うーん
それなら

出てこい！
アンドロイド！
ポチ！
ボ
ン!!
ええっ!

ミ……
ミライにそっくり!!

やった〜！
人間がたロボットのことをヒューマノイドっていったよね
これでマラソン大会出なくてすむぞ！
うんうん

そのヒューマノイドの中でも
見た目が人間そっくりなものをアンドロイドっていうんだ
へえ！

実さいにいる人をモデルに作ることもできるよ
わたしのふたごロボってことね

はだやかみの毛も人間みたいだね
やわらか〜い!!
表情やみぶりも自ぜんで
まばたきもできるんだ

こえやはなし方もそっくりにできるよ
ひゃ〜同じ声だ！
ちなみに…

せいかくもそっくりにできてるんだ
というわけで…
わたしのかわりにマラソン大会出てね♥
よろしく！
そんなぁ〜！

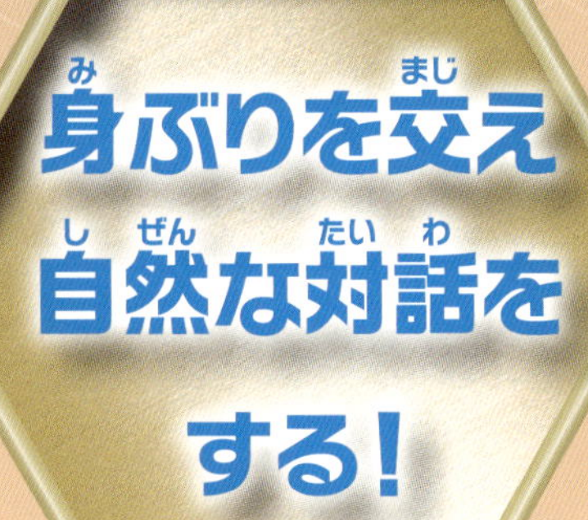

DATA

大きさ 166cm（身長）

作った理由 人間を理かいするため。人間らしいロボットを作れば、人間らしさには何が重要かがわかると思う。

エリカ

人と対話することができるアンドロイド。表じょうや身ぶり手ぶりを入れて、とても自然に話をするんだ。日本語はもちろん、英語で話すこともできるよ。

作ったグループ：JST ERATO石黒共生ヒューマンロボットインタラクションプロジェクト

ここがすごい!! 相手によって話す内ようを考える！

なかよしの友達や家族には自分のなやみや失敗を話せるけれど、初めて会った人にはちょっと話しにくいよね。人は相手との関係によって、話す内ようを自然と選んでいるんだ。

エリカも人と同じように「この人とはなかよし」とはんだんしたときにだけ、エリカのなやみや失敗した話を聞かせてくれるよ。エリカは相手の表じょうや話から、関係や心のきょり感をはんだんして、話す内ようを変えてくれるので、とても話しやすいんだ。空気を読めるお姉さんって感じだね。

▶音声だけではなく、身ぶりや表じょうがあることで、人もエリカに対して話しやすくなる。

▲受付で人にあんないをするエリカ。受付のほかに、アナウンサーをしたことも。

エリカの妹分・アンドロイドU！

Uは、エリカの後に開発されたアンドロイドのアイドル。22才の女せいとして作られているよ。お店でお客さんの相手をしたり、イベントに出たりといろいろな活やくをしているんだ。

中でも注目を集めたのは、インターネットでのライブ配信。配信を見ている人たちからのコメントがどんどん流れてくるので、その中からコメントやしつ問を選んで読み上げて答えて、見ている人たちを大いにもり上がらせたよ。

▲インターネットでのライブ配信をするU。

い動ができる子どもがたアンドロイド

DATA

大きさ 120cm（身長）
重さ 37kg
作った理由 子どものように社会の中でじょうほうを集めながら、知のうが発達するロボットを作りたかった。

電動モーターだけで動く、世界でゆい一の子どもサイズアンドロイド！

　イブキは身長120cmの子どもとして作られているよ。人の子どもと同じように、周りから教わりながら育つことができるよう、子どものすがたをしているんだ。子どものすがたのイブキにしつもんをされたら、周りの大人もつい親切に答えるよね。
　また、大人サイズのアンドロイドをい動させる場合、何を使ってそれだけのパワーを出すかという問題が出てくるけれど、子どもサイズだから、電動のモーターだけで動かすことができるんだ。
※モーター…動く力を生む機械。くわしくは16ページを見てね。

写真／Kristian Hoeck

動き

人が歩くときのように体を上下にゆらしながら、車輪を使って自分でい動をする。楽しそうにい動するなど、全身を使った感じょう表げんもできる。

自由にい動することで、人が生活する場所でいっしょに行動できるアンドロイド。いっしょに手をつなぎながら歩けば、よりいっそう、人となかよくなれそうだね。

作ったグループ：JST ERATO石黒共生ヒューマンロボットインタラクションプロジェクト

大きさ	187cm（身長）
重さ	49kg（体重）
作った理由	AI（人工知能）開発のため、AIの体となるロボットを作りたかったから。

表じょうによる感じょう表げんがゆたか

ほほえんだり、目を見開いたり、まゆをひそめたり、はっきりと気持ちをあらわにした表じょうをするよ。

動画はこちら

日本でのインタビューで、好きな曲は米津玄師の「Lemon」と答えたんだって

作った会社：エンジニアード・アーツ

アメカはイギリス生まれ。世界一表じょうがゆたかなロボットと言われているよ。表じょうだけでなく、海外の人のような大きな身ぶり手ぶりや、ジェスチャーもたくさんできるんだ。

本人そっくりのアンドロイド! ジェミノイドの作り方!

モデルになる人そっくりに作られたアンドロイドのことを、ジェミノイドというよ。ジェミノイドを研究している石黒浩教授と、ジェミノイドを作っている会社・エーラボに、その作り方を聞いてみたよ!

ページ監修：石黒浩（大阪大学 基礎工学研究科教授／ATR石黒浩特別研究所客員所長）・株式会社エーラボ

1 どんなジェミノイドにするのか、作る人と作ってほしい人で打ち合わせをするよ。

2 ジェミノイドのモデルになる人の、体のサイズをはかったり、さつえいをしたり、3Dスキャナーや石こうでかたをとるよ。

※3Dスキャナー…立体物のデータをとる機械。
※石こう…白いねん土のようなもの。

3 頭部のもけいを作って、みんなでチェックするよ。

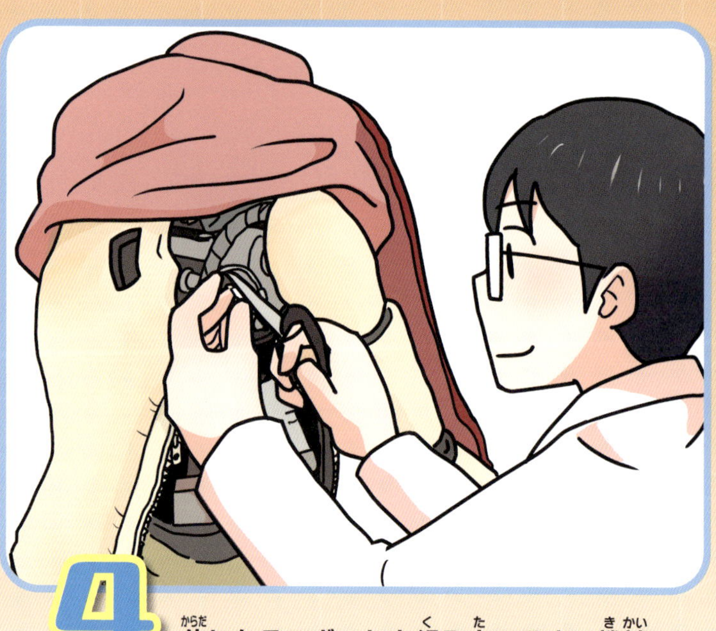

4 体になるロボットを組み立てるよ。機械が見えないように、クッションが入ったはだのようなカバーを取り付けて、その上から服を着せるんだ。

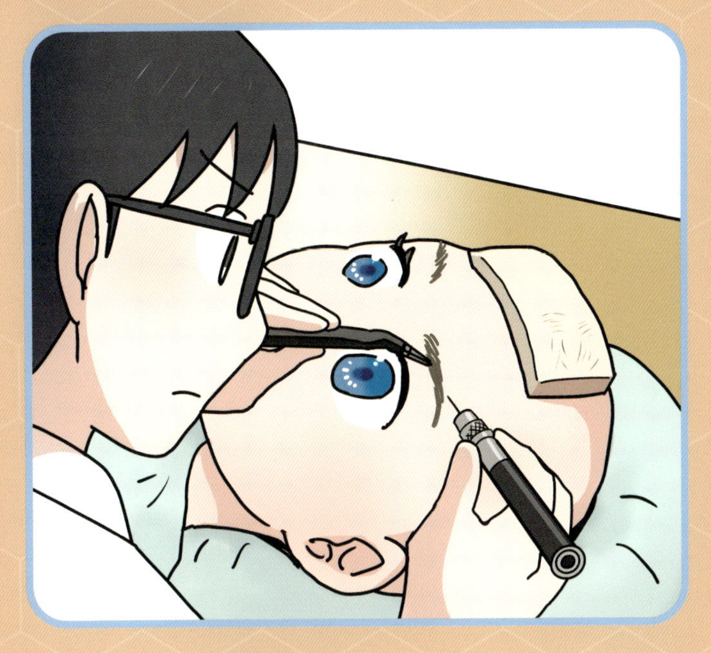

5

頭部に、皮ふや、かみの毛、まゆ毛やまつ毛を取り付けるよ。特に、まぶたや口のまわりの皮ふは、取り付け方ひとつで顔が変わってしまうので、とてもむずかしいんだ。

かみの毛やまゆ毛、まつ毛は自然な生え方に見えるよう、一本一本、手で取り付けるよ。

取り付けが終わったら、動作をさせてチェック。だまっていると本人そっくりなのに、話す動作や表じょうをつけたら別人に見えてしまうこともあるので、細かい調整をくり返すよ。

6

声を作るよ。モデル本人の声をろく音してそのまま使うこともあるし、ろく音した声を元に、コンピューターで音声を作ることもあるよ。

7

ジェミノイドの動きをプログラムで作っていくよ。頭の動きや顔の表じょう、手をふる、おじぎなど、よく使う動作を覚えさせることが多いよ。

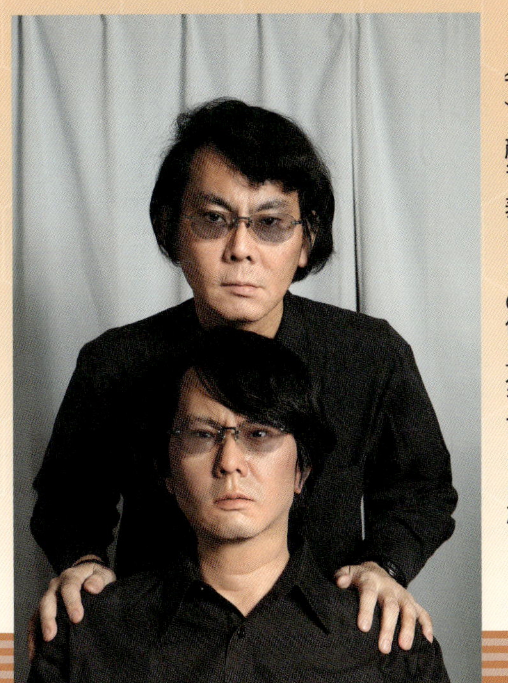

◀石黒浩教授（上）と、石黒教授のジェミノイド（下）。顔も、表じょうの作り方もそっくりだ。

コラム

ロボットの大会に出てみよう！

ここまで読んで、自分でロボットを作ってみたくなった人もいるんじゃないかな。ここでは自分で作ったロボットで出場できる大会をしょうかいするよ。キミも参加しよう！

めいろをロボットでかけぬけろ！

マイクロマウス

主催：公益財団法人ニューテクノロジー振興財団

どんな競ぎなの？

ロボットが自分の力だけでめいろを走り、ゴールにつくまでのタイムを競う競ぎだよ。5～10分というかぎられた時間の中で、ロボット自身がめいろを調べてマップ（地図）を作り、一番早くゴールできる道を、マイクロコンピューターを使って考え、走るよ。ロボットの大会の中で、世界一れきしが長いんだ。

▶全日本大会は年に一度。参加者の半分ほどは大学生だが、中には小学生～高校生の参加者も。今までの最年少出場者は小学二年生。

見どころを教えて！

ロボットの知のうとスピードの両方を必要とされるのがマイクロマウスのおもしろさ。1秒よりもずっと短いコンマ1秒というレベルで、タイムを競うよ。上位のロボットだと、大きなめいろでも一しゅんでかけぬけるので、観客は息をのんで見守るんだ。

二足歩行ロボットのはげしいバトル！

ROBO-ONE

主催：一般社団法人二足歩行ロボット協会

どんな競ぎなの？

二足歩行ロボットによるかくとうぎ大会。リングの上でロボットがわざを出しあい、こうげきで相手をたおせば1ダウン。相手を3回ダウンさせたら勝ちだよ。相手が空中に投げ出される投げわざや、あしを高くあげたハイキックなどのかれいな大わざは2ダウンをとることができるんだ。

※二足歩行…2本のあしで歩くこと。

▶毎年9月に4kg級の大会を開さい。小学生～大学生まではば広く参加していて、中には小学校低学年で出場した人も。

見どころを教えて！

はげしい音をたててロボットがぶつかりあい、戦うすがたは大はく力。ロボットの安定感やわざのキレ、そう作する人のテクニックなど、人とロボットが力をあわせていっしょに戦うすがたが見られるのも、ROBO-ONEのみ力の一つだよ。

さく引

監修 ● **岡田博元**（おかだ ひろもと）

お茶の水女子大学附属小学校教諭。お茶の水女子大学非常勤講師。文教大学教育学部初等教育課程、埼玉大学大学院教育学研究科を修了。専門は国語科教育学、教育方法学、臨床教育学。小学校国語教科書（光村図書）編集委員。

●まんが・イラスト　ふじわらのりこ

●取材協力
石黒浩（大阪大学 大学院基礎工学研究科 教授／
ATR 石黒浩特別研究所 客員所長）
岡田美智男（豊橋技術科学大学 情報・知能工学系 教授）
ガスト谷原店　株式会社エーラボ
株式会社すかいらーくホールディングス
みさいる（合同会社メカニカルガール）

●写真・画像協力
アイロボット　アシストモーション　iXima
石黒浩（大阪大学 大学院基礎工学研究科 教授／
ATR 石黒浩特別研究所 客員所長）
一般社団法人 二足歩行ロボット協会
エンジニアード・アーツ
岡田美智男（豊橋技術科学大学 情報・知能工学系 教授）
Kristian Hoeck　クリプトン・フューチャー・メディア
GROOVE X　慶應義塾大学 杉浦裕太研究室
公益財団法人 ニューテクノロジー振興財団
国際電気通信基礎技術研究所　SEGA　ソニー
SoftBank Robotics
仲田佳弘（電気通信大学 大学院情報理工学研究科 准教授）
パナソニック　Pudu Robotics　本田技研工業　マッスル
港隆史（理化学研究所 ガーディアンロボットプロジェクト チーム
リーダー／ATR 石黒浩特別研究所 客員研究員）
村田製作所　メカニカルガール　ルーナ・ジャパン

●編集協力　小山由香

●撮　影　今福克

●デザイン・DTP　岩上仁子

●参考文献

『子供の科学サイエンスブックスNEXT　歴史からしくみ、人工知能との関係までよくわかる、未来につながる!ロボットの技術』　誠文堂新光社

『未来が広がる最新ロボット技術　③助け、寄りそう技術』汐文社

『YouTubeライブ配信大全　【OBS Studio 対応版】』アバンク

ここがすごい！ ロボット図鑑

②くらしをたすけるロボットたち

初版発行　2024年9月25日

監　修　岡田 博元
発行者　岡本 光晴
発行所　株式会社　あかね書房
〒101-0065　東京都千代田区西神田3－2－1
☎03-3263-0641（営業）　☎03-3263-0644（編集）
https://www.akaneshobo.co.jp
印刷所　中央精版印刷 株式会社
製本所　株式会社 難波製本

ISBN978-4-251-06811-8

NDC548
岡田 博元
ここがすごい！ ロボット図鑑
②くらしをたすけるロボットたち
あかね書房　2024年　47p　30cm×21cm